Wahmed Ben Younès

Ziri et ses tirelires

Gu

Collection Œil-de-chat

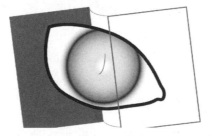

Éditions du Phœnix

© **2006 Éditions du Phœnix**
Dépôt légal 1er trimestre 2006
Bibliothèque nationale du Québec
Bibliothèque nationale du Canada

Imprimé au Canada

Nous remercions le Conseil des Arts du Canada
de l'aide accordée à notre programme de publication.

Illustrations : Guadalupe Trejo
Graphisme : Guadalupe Trejo
Révision linguistique : Lucie Michaud

Éditions du Phœnix
206, rue Laurier
L'île Bizard (Montréal)
(Québec) Canada H9C 2W9
Tél.:   (514) 696-7381
Téléc.: (514) 696-7685
www.editionsduphoenix.com

**Catalogage avant publication de Bibliothèque et Archives
Canada**

Ben Younès, Wahmed, 1956-

    Ziri et ses tirelires

    (Collection Œil-de-chat ; 3)
    Pour les jeunes de 9 ans et plus.

    ISBN 2-923425-05-7

    I. Trejo, Guadalupe. II. Titre. III. Collection.

PS8553.E594Z7 2006 jC843'.54   C2005-942500-8
PS9553.E594Z7 2006

Wahmed Ben Younès

Ziri et ses tirelires

Éditions du Phœnix

Du même auteur, chez d'autres éditeurs:

Yemma, aux Éd. de L'Harmattan (Paris), 1999.

Petit Amazigh, aux Éd. le Figuier, Québec, 2001.

À mon fils Ziri, né le 8 mars 2002, que nous fêtons en lui donnant sa première coupe de cheveux en compagnie de tous les proches, comme c'est l'usage en Kabylie, pour lui faciliter le passage à la vie et parmi nous.

Ce livre est aussi pour mon Yuva qui a douze ans et qui se joint à nous pour souhaiter une bonne vie à Ziri.

Votre vava qui vous aime.

« *Les rêves sont ce qu'il y a de plus doux et peut-être de plus vrai dans la vie.* »

CHARLES NODIER

CHAPITRE UN

La fugue

Ses parents se disputent encore. Cela dure depuis le souper.

Le cœur gros, Ziri grimpe l'escalier et retrouve le grenier où sa chambre a été aménagée. Sur la commode, il prend toutes ses tirelires, aussi lourdes les unes que les autres, et les dépose sur un tapis venu d'un désert lointain.

Tandis qu'en bas la querelle s'apaise, sur son tapis volant, il imagine plusieurs destinations tout en se préparant à briser ses tirelires de porcelaine et de terre. Serrant un maillet en bois dans ses mains, il s'excuse à l'avance auprès d'elles.

Chacune représente un animal différent :
un dragon, un cheval, un buffle, un singe,
un écureuil, un chien et un coq. Il les place
l'une à côté de l'autre, les compte et les
aligne selon sa préférence. Avant de les
casser pour en libérer le contenu, Ziri les
prend entre ses petites mains et leur
demande de l'aider dans sa fugue.

Sur le tapis moelleux, selon son ordre
préféré, il s'adresse à toutes.

Je vous livre les secrets de Ziri en silence pour ne pas bousculer son recueillement ni le déranger dans sa requête auprès de chacune des tirelires. Attention ! Il vous suffira de lire ce qui suit pour l'accompagner dans son long périple intérieur.

CHAPITRE DEUX

Les tirelires

Ziri s'empare du dragon, caresse ses ailes et ses pattes, nettoie ses yeux et enlève la poussière posée sur sa langue. Il le fait voler dans l'espace du grenier, le dépose sur le tapis venu d'un désert lointain et lui dit :

— Sur ton dos, je veux que tu me portes et sur tes ailes, je désire m'envoler au-dessus de tous les continents. Loin de la maison, je veux partir et laisser mes parents se parler, s'expliquer loin de mes oreilles. Je refuse d'être témoin de quoi que ce soit. Sur ton dos, dans l'espace, je serai léger, comme si j'étais sur un tapis volant. Nous visiterons plusieurs pays. Je connaîtrai tous les garçons et toutes les filles de la planète. À chacun et à chacune, je te présenterai comme si tu étais un revenant. Avec toi, je chercherai un endroit où m'établir, un lieu où les enfants vivent heureux à l'abri des querelles et des atrocités. Avec ta magie et ta force, je construirai une planète, un refuge pour accueillir les enfants fugueurs du monde entier. Ton feu nous réchauffera. Quelquefois, tu m'emmèneras voir la maison de mes parents, juste pour que je sache si leur dispute est terminée. Quoi qu'il arrive, nous resterons amis pour toujours.

Ziri prend le cheval, caresse sa crinière et brosse sa queue. Tendrement, il nettoie ses sabots et le fait galoper hors du tapis venu d'un désert lointain. Il le dépose non loin du dragon et lui dit :

— Quand je descendrai du dragon pour mettre pied à terre, tu seras tout près de moi. Avec toi, dans chaque pays, je parcourrai de longues distances.

Puis, Ziri se tourne vers le buffle. À l'aide d'une pince, il retire les saletés logées dans ses poils. Il fait reluire ses cornes et ses sabots. Affectueusement, il tresse les longs poils de sa queue. Dans un pot de terre où repose un figuier, il enfonce les pattes de l'animal afin que son ventre se débarrasse des parasites. Il le dépose ensuite près du cheval et lui dit :

— Quand je descendrai de ma monture, c'est avec toi que je continuerai ma fugue. Puisque tu es plus fort que le cheval, tu m'amèneras vers les sommets escarpés des glaciers éternels pour explorer les mille et une grottes des montagnes sacrées.

Ziri prend le singe dans ses mains, le chatouille pour le réveiller. Il est minuscule, tout fragile. Ziri lui prépare un biberon de lait de brebis et l'aide à boire. Avant d'aller le déposer dans le figuier, où le singe aime se blottir, il le dépose près du buffle sur le tapis venu d'un désert lointain.

Sur l'une des branches du figuier, l'écureuil grignote un morceau de figue entre ses pattes. Ziri le saisit par la queue. À l'aide d'une brosse, il nettoie ses dents et essuie sa petite bouche. Il le dépose près du singe et lui dit :

— Mon petit ami, avec toi je veux visiter les villes et ratisser les ruelles pour entendre les cris des enfants qui s'amusent et qui rient. Dans le premier parc, m'envoler sur la balançoire du grand univers, explorer les étoiles, la lune, le soleil et les planètes. Tu m'accompagneras partout où j'irai.

Surpris, Ziri regarde le chien marquer son territoire en aspergeant le pied du figuier. Il le laisse finir sa besogne et ensuite le tire vers lui pour l'essuyer et flatter son museau. Il lui enlève une épine du pied et délicatement le dépose à proximité de l'écureuil sur le tapis venu d'un désert lointain pour lui dire :

— Toi, l'ami fidèle, tu me serviras de guide puisque tu connais la ville mieux que l'écureuil. Je compte sur toi pour retrouver tous les endroits de mon enfance et de mes rêves. De la bouche de ma grand-mère, j'ai appris un dicton lors d'une veillée autour du feu. Elle me racontait une histoire berbère et voici ce qu'elle disait à propos de toi, mon chien : « Mon œil, souviens-toi du chemin et vous, mes pattes, prenez la direction de mes yeux. » C'est pourquoi, avec toi, je veux parcourir la planète et reconnaître toutes les odeurs pour faciliter ma communication avec les autres et flairer le danger afin de le désamorcer.

Sur le bord de la fenêtre, le coq, en équilibre sur une patte, s'apprête à chanter. Ziri, ne voulant pas qu'il dérange les autres animaux, le saisit et le ramène à l'intérieur. Il lisse tendrement ses plumes, redresse sa crête rouge pour lui donner fière allure et le dépose sur le tapis venu d'un désert lointain, à côté du chien. Il lui dit :

— Toi qui ne crains pas de piétiner le fumier ni de réveiller des milliers de gens dans les paisibles campagnes, tu possèdes un courage sans pareil. Tu es plus autonome que le chien, et les mauvaises odeurs ne te répugnent pas. Avec toi, je formerai mes sens pour qu'ils ne reculent devant rien. Ainsi, je pourrai pénétrer dans des lieux étranges, voir des décors féeriques, dépouiller de leurs recettes les sorciers et les sorcières et faire ainsi échouer leurs plans diaboliques.

CHAPITRE TROIS

Le discours

— Mes chers amis, maintenant que nous sommes rassemblés sur ce tapis venu d'un désert lointain et que vous connaissez mes intentions, je vous explique mon plan.

« Je désire laisser mes parents vivre un peu sans leur enfant de dix ans, pour qu'ils se retrouvent et qu'ils prennent une décision quant à leur avenir de grandes personnes.

« Nous partirons à l'aube. Transportés sur le dos du dragon, nous survolerons les continents, les océans et les mers. Chaque fois que nous voudrons visiter un pays, le dragon nous y déposera. Une fois à terre, nous nous promènerons ensemble. Nous serons des objets de curiosité pour bien des adultes, mais cela ne devra influencer aucun élément du groupe. Nous serons aimables avec eux sans prendre part à leurs longues discussions. Vous les connaissez : ils posent beaucoup trop de questions inutiles et finissent toujours par nous faire la morale. Quant aux enfants, nous jouerons avec eux, nous leur raconterons toutes nos aventures et la raison de ma fugue. Eux, ils savent garder un secret pendant une éternité. Ils nous montreront tous les beaux endroits à découvrir lors de nos haltes. Si jamais vous devenez amoureux d'un animal de votre espèce, sachez que vous êtes libres de quitter le groupe ou de permettre à votre fiancé de l'intégrer. J'espère que tout est clair et que je n'ai rien oublié. De toute façon, je pourrai faire quelques ajustements en cours de route. Soyons sur nos gardes afin que mes parents ne découvrent pas ma fugue. L'un de vous a-t-il quelque chose à ajouter ? »

Les animaux se regardent, se sourient et leurs cris annoncent à Ziri qu'ils consentent à respecter l'entente et à l'aider dans son périple planétaire.

CHAPITRE QUATRE

La préparation

À l'aube de la première journée de l'été et des grandes vacances scolaires, juste avant la fête de la Saint-Jean-Baptiste, Ziri et ses copains se préparent.

Sur le tapis venu d'un désert lointain, Ziri ramasse les papiers de voyage, l'argent et quelques accessoires pour ses animaux et lui : des allumettes, au cas où le feu du dragon ne s'allumerait pas, une brosse pour éviter que la crinière du cheval ne frise, une paire de ciseaux pour tailler autour des yeux les poils du buffle, un coupe-ongles pour les soins du singe et pour ne pas qu'il égratigne quelqu'un, un sifflet pour l'écureuil afin d'éviter qu'il ne se perde dans la foule où s'abattent les pas lourds des adultes, une belle muselière pour le chien afin qu'il respecte la loi quand il gambade à son aise dans les rues, un vernis à ongles rouge pour colorer la crête du coq et lui donner fière allure et, enfin, une boussole pour situer les quatre points cardinaux.

CHAPITRE CINQ

Le départ

Ziri ouvre doucement la lucarne du grenier et jette un coup d'œil sur la terrasse de sa voisine, Alice la malice. Elle habite la rue de la Tourelle, dans le quartier Saint-Jean-Baptiste. Elle est au courant de tout. Dotée d'un flair et d'une intelligence extrêmes, elle est la meilleure informatrice du quartier. Ziri veut s'assurer qu'Alice la malice n'est pas dehors, car il paraît, au dire des enfants de la rue, qu'elle est somnambule. À moins que ce ne soit une ruse de sa part pour tout connaître de leurs aventures nocturnes.

Ziri, de la lucarne, ne voit pas la silhouette de sa charmante voisine. Il grimpe sur le toit, fait signe à ses amis de sortir chacun à son tour. En passant le premier, le dragon s'est quasiment coincé une aile. Le cheval, avec ses sabots, a presque décroché la gouttière. La corne du buffle a brisé la vitre de la lucarne. Le singe, en sautant, a failli rater le toit. L'écureuil, attentif au moindre bruit, a grimpé lentement pour éviter toute surprise désagréable. Le chien, debout, les deux pattes avant sur le bord de la lucarne, a demandé à Ziri de l'aider. Le coq, prétentieux, a déployé exagérément ses ailes et a atterri sur le toit de la voisine. Ziri en a eu des sueurs froides. Il a eu peur qu'Alice la malice ne se réveille.

Calmement, en contrôlant sa nervosité, il demande ensuite aux animaux de grimper sur le dos du dragon tandis que le coq les rejoint. Du toit de la maison, au-dessus de la rue Lavigueur, ils dominent toute la Basse-Ville de Québec jusqu'aux Laurentides. Sous un ciel encore étoilé et à l'insu d'Alice la malice, les animaux choisissent chacun une destination préférée. Le chien veut visiter la France, le cheval, l'Arabie Saoudite. Le coq ? Le Venezuela. Le singe et le buffle ? Quelque part en Afrique. Après tout cela, l'écureuil ne sait pas où il veut se rendre. Il a peur de s'ennuyer du Québec.

CHAPITRE SIX

Le voyage

Le dragon, qui n'a rien dit, prend son envol. Nostalgique des contes fabuleux qu'il a entendus autrefois, planant très haut dans le ciel, il traverse le Québec en longeant le fleuve Saint-Laurent, puis il survole les différentes provinces du Canada : l'Ontario, le Manitoba, la Saskatchewan, l'Alberta, la Colombie-Britannique et le Yukon. Après quelques heures, il se trouve au-dessus de l'Alaska.

Pour marquer une pause, il cesse ses battements et demande au coq de lui passer la boussole et la mappemonde. Celui-ci se met alors à fouiller le balluchon, mais ses coups de bec percent des trous. Pour éviter de tout perdre, Ziri prend la relève et passe le matériel au dragon. Tel un grand explorateur, le dragon repère le lieu qu'il cherche à atteindre. En un éclair, il survole l'océan Arctique et franchit les républiques de l'ancienne Grande Russie pour pénétrer dans l'espace aérien de la Chine, ce pays de contes imaginaires qui le fascinent. Sur le plus haut point de la Grande Muraille[1], il se pose et respire profondément l'air de ce lieu où le dragon est vénéré.

Pendant ce temps, les autres s'installent pour casser la croûte et se préparent à passer la nuit. Au moment du pique-nique, le dragon leur dit :

— Patientez un peu avant de manger. Quand les habitants vont s'apercevoir de ma présence, ils monteront des vallées et ils descendront des montagnes pour déposer à mes pieds de délicieuses offrandes.

---

1. Mur servant de fortification. La Grande Muraille de Chine est longue de 5 000 km.

Sur ces paroles, tous se mettent à rire et le singe lui répond :

— Mais tu délires ! Tu ne fais donc pas de différence entre le réel et le rêve ?

Le dragon fixe Ziri et s'éloigne du groupe. Debout sur ses pattes arrière, il marche sur le muret tel un funambule ; il se déplace lentement en contrôlant sa respiration. Au bout de quelques mètres, il s'arrête, se concentre et s'étire la tête vers le ciel. Soudain, son cou se détend et le dragon crache une nuée de flammes avec une force étonnante. Ses copains, les poils hérissés, comprennent que la féerie se confond parfois au réel.

La population de la Chine entière a vu le miracle s'accomplir et, ainsi, s'amorcer l'année du dragon. La fête débute : les hommes, les femmes et les enfants entreprennent le pèlerinage vers la Grande Muraille, voulant observer de près ce dieu revenu parmi eux. Une marée d'humains y déferle, à croire que toute la population de l'Asie s'y trouve.

Fier et magnanime, le dragon caresse chaque personne venue lui demander d'exaucer un vœu. Cela dure plusieurs semaines. Ziri et ses copains se régalent des tonnes de gâteries déposées aux pieds du dragon. Sur son dos, ils parcourent toute la Chine. Chaque fois, l'accueil reste chaleureux et amical. Un jour, sous la pleine lune, le dragon s'élance du haut de la Muraille et malgré la vénération dont il est l'objet, transporte ses copains vers une nouvelle destination.

Alors qu'ils flottent dans l'espace, le chien s'approche de l'oreille du dragon et lui murmure en cachette :

— Est-ce que tu peux t'arrêter pour moi au sommet de la tour Eiffel ? J'ai un miracle à accomplir.

Le dragon observe la boussole et la carte, et accélère son vol en mentionnant leur objectif à son maître Ziri, ravi pour le chien. Le groupe traverse l'Afghanistan, l'Iran, la Turquie, la mer Méditerranée et pénètre enfin sur le territoire des Gaulois.

Le quatorze juillet à minuit[2], ils se posent au sommet de la tour Eiffel.

Sur le point culminant de Paris, les copains s'installent et le chien prépare sa stratégie. Au petit matin, avant que les militaires et les dignitaires n'envahissent les Champs-Élysées, il se met à aboyer avec une force du tonnerre. Toute la population de la ville se réveille en sursaut et tous les toutous de France convergent vers son appel. En quelques minutes, ils engorgent les rues de Paris et se massent au pied de la Tour. Ziri et ses copains sont ébahis. Plus loin, des milliers de personnes à genoux s'étonnent du prodige. Le chien, ému, adresse alors un message à la nation :

— En ce glorieux anniversaire du quatorze juillet, chers citoyens de Paris, nous, les chiens, occupons les rues afin de prendre une décision visant à quitter les maîtres qui nous abandonnent ou nous exploitent.

---

2. La fête nationale des Français.

Sur ce, les canins se mettent à japper de satisfaction pendant qu'une délégation d'adultes se fraie un chemin jusqu'au pied de la tour Eiffel. Ils prennent l'ascenseur pour entamer des négociations avec le chien. Lors des pourparlers, la majorité de la population se lamente et se repent. Au sommet, à proximité des antennes de communication, le chien accorde une trêve si les conditions de son contrat sont respectées.

Dorénavant, l'homme devient le fidèle ami du chien. Ils sont égaux et aucun ne doit abandonner l'autre pour quelque raison que ce soit. Le chien appelle à la paix et à l'amitié.

Les hommes et les femmes rejoignent leur animal favori. Le dragon, content de la performance de son ami, lui chauffe la joue de sa bise.

Ziri et ses amis repartent à la découverte de la France, ce pays charmant et riche en trouvailles aussi amusantes que stupéfiantes. Sur les hauteurs des calanques, non loin de Marseille, le dragon prend finalement son essor vers une autre destination.

Au milieu du ciel, le cheval se plaint à Ziri que le chien l'ait devancé. Ziri l'apaise et ordonne au dragon de satisfaire leur compagnon. Sans tarder, le dragon survole la Méditerranée et se pose sur le minaret[3] de La Mecque. De là-haut, le cheval observe le désert où jadis ses ancêtres

---

3. Tour d'une mosquée.

gambadaient en toute liberté. Avant même que l'imam[4] appelle à la prière, il invite ses amis à courir avec lui sur le sable fin.

En deux battements d'ailes, le dragon atteint le sol d'Arabie et y dépose tendrement le cheval, qui lisse aussitôt sa crinière. Ziri explique au cheval que les autres les suivront dans les airs tandis qu'il le chevauchera. Une fois Ziri en place, sa monture part au triple galop dans ce désert où le soleil embrasse la

_____
4. Chef de prière dans une mosquée.

rosée du matin et le vent dessine le sable fin. Entre les grosses dunes, des vagues de poussière se soulèvent. Le cheval hennit et piaffe de joie d'avoir retrouvé sa liberté d'antan.

Ensemble, Ziri et le cheval atteignent le rivage. Ziri parle aux poissons et aux baleines avec l'espoir de se balader dans les profondeurs des mers et des océans. Sur la plage, le cheval donne son galop le plus rapide afin de rattraper le vent, la vague et la lumière. Avec ses longues oreilles, il fait entendre à Ziri la musique des cigales et le chant des abeilles. De temps à autre, il lui laisse entendre les voix de ses parents et Ziri écoute leurs conversations. Ses hennissements déclenchent l'orage, et la pluie, l'élixir de ce pays, devient leur amie. Mais aussitôt le soleil réclame leur compagnie et, sur cette plage, ils s'unissent à jamais. Après la cérémonie, Ziri et le cheval partent discrètement.

Non loin de là, un prince les aperçoit et ordonne aussitôt à ses hommes de capturer ce cheval fougueux. Une poursuite s'engage. Du haut du ciel, le dragon sent le danger qui les guette. Il plane au ras du sable, passe près du cheval et l'enlève dans les airs. Les poursuivants figent sur place et en perdent la voix. Le prince, furieux, regarde s'éloigner son rêve.

Le voyage a repris. Sous leurs yeux défilent l'océan Indien, l'Océanie, royaume du kangourou, l'immense océan Pacifique, les

montagnes, les plateaux et la jungle d'Amérique du Sud. Le Pérou et la Colombie franchis, le groupe descend vers un petit village du Venezuela. Ils débarquent près d'un poulailler que le coq a reconnu. Il veut prendre quelques nouvelles de sa famille.

Ziri apprend, tout comme le coq, à se mouvoir sans bruit. Il visite toutes les demeures, des palais aux bidonvilles, et le présente aux enfants tel un héros qui se déplace aussi silencieux que la rosée du matin. Il comprend son cri et sait l'imiter. Avec lui, de campagne en campagne, Ziri découvre la splendeur de la nature, le visage des paysans et les rêves des enfants endormis. Il chante dans les villes et rivalise avec les horribles réveille-matin.

Une grande déception attend le coq : une vieille poule lui apprend que ses parents ont déménagé en Haïti.

Après un repos mérité, les copains de Ziri, perchés sur le dos du dragon, continuent leur périple vers Haïti.

Sous la lumière des étoiles, obéissant au coq, le dragon atterrit sur une plage. Soudain, le coq secoue ses plumes, redresse sa crête et pousse son cocorico. Une vieille dame accourt, suivie de toute sa volaille. Une fois en place, la basse-cour improvise une danse et petit à petit, le coq entre dans un état second. Sous les ombres dansantes, la transe se communique, de plus en plus intense, du coq à Ziri et aux autres, les libérant de toute énergie mauvaise.

— Peux-tu me parler de la danse ? demande Ziri à la vieille, aussitôt le calme revenu.

— En fait, il s'agit de la danse des retrouvailles et de l'amour. Dans la tradition africaine, les anciens se soignent tout en pratiquant le vaudou. Regarde comment tes copains resplendissent de santé. Surtout le coq. Mais, excusez-moi, jeune homme, je dois me retirer.

Elle se volatilise devant Ziri qui commence à comprendre le miracle du vaudou. Le coq, agacé, se précipite alors sur le dragon et lui demande de retrouver la magicienne. Après de brefs adieux, le groupe reprend la route des airs. Mais la vieille femme est déjà bien loin, quelque part dans un coin de l'univers. Spontanément, le singe et le buffle s'exclament :

— Elle est en Afrique ! Vite, le dragon, transporte-nous vers la jungle et la savane !

L'océan Atlantique succède à la mer des Caraïbes et, bientôt, les amis distinguent le continent africain. Ziri demande au buffle et au singe d'indiquer un endroit où atterrir. Tous deux, la mine triste, lui répondent en chœur :

— Nous ignorons quel pays choisir. Ils se ressemblent tous.

— Un pays où nous pourrons rencontrer vos familles et rire un peu sous un grand arbre centenaire, manger à côté d'un lion, nager avec les hippopotames, ramper avec un boa, courir avec les zèbres, glisser sur le cou des girafes, chanter avec les éléphants et faire voler les autruches sur le dragon.

— Alors, direction Kenya ! ordonne le buffle enfin décidé.

Bercés par la musique africaine traditionnelle, Ziri et ses tirelires survolent les plaines remplies de lions, d'élans et de rhinocéros. Puis, aux abords des collines boisées, les girafes et les buffles se prélassent.

— Arrêtons-nous ! C'est parmi les miens que je veux escalader le Mont Kenya.

D'une démarche assurée, ensemble ils escaladent chaque flanc de montagne. Au passage, Ziri parle du temps avec les marmottes, du paysage avec les mouflons et les chevreuils, du vertige avec les oiseaux, de la solitude avec les papillons, de la peur avec les insectes, de la mort avec les fleurs et de la sagesse avec les rapaces. Au sommet des pics les plus hauts, il apprivoise le soleil et la lune. Dans l'ombre et la lumière de la brunante, il les invite à parler de la séparation qu'ils vivent quotidiennement. Sur les plus hautes cimes, Ziri hume l'air pur de la vie et observe la planète Terre devenir douce et propre. Lors des avalanches, intrépide, il vole au secours des personnes en danger avec le chien. Puis, ils descendent sur les plaines pour jouer et rouler sur l'herbe fraîche.

Malgré la beauté du paysage, le buffle est de plus en plus malheureux. Il ne retrouve plus sa famille, ses amis. À l'approche d'un groupe de chasseurs, il entre dans une colère bleue et, ses sabots martelant la savane, fonce sur eux dans un nuage de sable.

— Qu'est-ce qui te prend ? demandent Ziri et le singe.

— Les membres de nos familles ne vivent plus dans ces lieux et les arbres centenaires sont pour la plupart déracinés. Plusieurs animaux sont emprisonnés dans des parcs zoologiques pour distraire les foules. On chasse pour le plaisir de chasser. Cela me rappelle trop de mauvais souvenirs. Partons d'ici.

— Il faut te reposer. Nous te laisserons tout près d'un lac pour brouter en silence, décide Ziri.

— Je continuerai le chemin avec toi et je te guiderai dans les secrets et les profondeurs de la jungle, propose le singe à Ziri.

Grâce à sa magie, il lui transmet un peu de son agilité, de son humour et de ses grimaces, et lui apprend le langage des animaux de la jungle et de la savane. Avec Ziri, il s'aventure dans ces lieux où tant

d'êtres différents partagent le même territoire.

Ils s'amusent. Ziri endort le lion et
course contre le tigre, le jaguar et la pan-
thère. Il grimpe sur le dos du zèbre, de
l'éléphant et de la girafe. Le singe rampe à
plat ventre avec le boa, le cobra au cou
noir et le serpent corail.

Dans les grottes, Ziri rencontre sa
grande famille. Il échange des cris avec les
singes hurleurs, les gorilles et les chim-
panzés et se repose avec les paresseux. Il
saute avec lui d'une branche à l'autre pour
cueillir un fruit, rendre visite à une
chauve-souris et voler avec les oiseaux. Le
singe lui souffle à l'oreille les secrets et les
goûts de la nature pour qu'il puisse la
charmer et qu'avec son aide, elle devienne
sa fiancée. Il est son témoin et son ami de
toujours.

Ziri prend alors une décision. Il ne veut
pas quitter la fascinante Afrique. Il murmure le nom de la prochaine destination à
l'oreille du dragon. Après avoir cueilli le

buffle, le dragon survole l'Éthiopie, le Soudan, le pays des pyramides, les déserts de Libye et d'Algérie. Le sud de ce pays, sous l'emprise d'un soleil de plusieurs couleurs, hypnotise chaque être vivant : du lézard à l'autruche et du vautour à l'humain. Chaque soir, les dragons avalent le soleil sous le regard des dieux.

D'un geste, Ziri ordonne au dragon de bifurquer vers le nord du pays pour rejoindre la Kabylie. Sur les hauteurs du Djurdjura, il se pose non loin d'un nid d'aigle. Ziri descend, suivi de ses copains qui attendent une explication. Le garçon respire profondément et leur annonce :

— Regardez la beauté de ce paysage. Tous ces villages perchés sur des crêtes, ces chemins qui serpentent, ces plaines verdoyantes. Observez ces enfants qui grimpent la montagne avec leur troupeau. Ils sont courageux et libres dans cette vaste contrée. Un jour, nous reviendrons fêter le printemps avec eux. Dans toutes les mains, sur les voitures et dans les maisons, vous verrez des bouquets de genêts

en fleurs qui soulignent l'attachement des Berbères montagnards à la paix et à l'amour. Maintenant, je demande au dragon de se diriger vers un village qui se nomme Ait Ziri, « les enfants de Ziri ». Il paraît qu'il a été fondé par un de mes ancêtres et que ma grand-mère paternelle y habite encore. C'est sur la terrasse de sa maison que nous irons nous déposer.

La grand-mère, qui faisait sécher les figues sur de grands lits de roseaux, est saisie de panique en apercevant un dragon descendre vers elle.

— Grand-maman, grand-maman ! C'est moi, Ziri, ne te sauve pas !

— Mais que fais-tu avec ces drôles d'animaux ?

— Ce sont mes amis et je voyage avec eux.

— Où sont tes parents pendant ce temps ?

— Je ne veux pas en parler tout de suite. Je suis parti afin de leur donner le temps de prendre chacun une décision.

— Quelle décision ?

— Je te le dirai une autre fois. Je suis venu te saluer et manger tes belles figues fraîches.

— Justement, j'ai une grosse corbeille en osier qui en est pleine. Prends-la et rentre chez tes parents. Tu ne t'en rends pas compte, mais tu es à des milliers de kilomètres de ta maison.

— Grand-maman, j'aimerais rester un peu avec toi.

L'écureuil se perche sur l'épaule de Ziri pour lui dire qu'il s'ennuie de Québec. Les animaux chargent la corbeille de figues sur le dos du dragon pendant que Ziri embrasse son aïeule. Sous le regard affectueux de la vieille femme, le dragon prend son envol, au grand étonnement des villageois et des enfants. Sa silhouette s'évanouit peu à peu à l'horizon.

CHAPITRE SEPT

Le retour

Après une traversée sans histoire, le dragon atteint le Québec et se pose enfin sur la tour Martello des plaines d'Abraham. L'écureuil, content d'être chez lui, descend et court inspecter ses cachettes de nourriture, désireux de savoir s'il peut passer l'hiver le ventre plein avec ses copains. Rassuré de retrouver ses réserves intactes, il revient annoncer la bonne nouvelle. Ziri le félicite de sa générosité et lui demande une dernière faveur.

— Allons escalader les cordes, atteindre le faîte des arbres, dire bonjour aux oisillons du printemps et les guider dans leur premier envol.

Une à une, ils grimpent les marches de l'escalier pour dominer la ville. De là-haut, ils observent les enfants à l'intérieur de chaque maison et leur demandent de les rejoindre pour épier les adultes. Du haut de la glissoire, Ziri et ses amis se laissent descendre jusqu'aux profondeurs de l'océan. Là, ils échangent les nouvelles avec le homard, le crabe et le concombre de mer. Ils ondulent avec la méduse, bondissent avec le dauphin, vainquent la vague et *surfent* sous les yeux des cormorans.

Sur le carré de sable, ils construisent des hôtels à la dimension des enfants où les présidents du monde entier deviennent leurs serviteurs. Ils sculptent un château à l'intérieur duquel une princesse est prisonnière. L'écureuil, en fouinant, trouve un passage secret afin que Ziri entre la délivrer. Il le présente à elle comme le héros de son cœur.

La faim les tenaille ; le chien sent la bonne nourriture de loin et choisit le meilleur restaurant de la ville. Grâce à la magie de son odorat, Ziri retrouve son chemin et reconnait sa bien-aimée parmi toutes les fillettes de la terre. Avec lui, aucun labyrinthe n'a de secrets pour eux. Dans la rue, il renifle les suspects et protège les enfants abandonnés et les vieillards.

— Nous avons parcouru le monde, mes amis, et nous sommes tous fatigués. Il est temps de retourner.

Ziri demande au dragon de les déposer près de la lucarne, à la maison, rue de la Tourelle.

La veille de la fête du Travail, Ziri ouvre la lucarne et demande à ses copains de pénétrer à l'intérieur du grenier où sa chambre est aménagée. Chacun s'introduit doucement afin de ne pas réveiller Alice la malice. Ziri passe le dernier, portant la corbeille de figues fraîches comme cadeau de réconciliation pour ses parents. À l'intérieur, tout est tranquille. Dans la mansarde, Ziri et ses copains se reposent de ce long voyage au cours duquel ils ont traversé des continents, des océans et des mers. Un drôle de voyage pour faire le tour de la planète Terre.

Le lendemain matin, le soleil inonde la chambre et tous ronflent encore sous l'effet du décalage horaire. Deux grandes personnes frappent à la porte. Ziri ne répond pas. L'une d'elles ouvre pendant que l'autre tient le cabaret du déjeuner.

Ziri est allongé sur le lit. Tendrement, les deux grandes personnes le caressent, le cajolent et lui disent des mots doux. Après quelques instants, Ziri ouvre un œil, puis le second, et s'élance dans les bras de ses parents en les serrant très fort. Ces derniers ne comprennent pas la raison de cet élan d'amour subit. Le menton appuyé sur l'épaule de sa mère, il jette un clin d'œil à ses tirelires poussiéreuses, immobiles sur la commode, comme pour les remercier de l'avoir accompagné dans son voyage. Son père soulève le cabaret et le pose devant Ziri pendant que sa maman lui murmure à l'oreille :

— Aujourd'hui, c'est jour de congé pour tous. Nous serons ensemble comme toujours, avec toi, beau trésor que nous aimons.

CHAPITRE HUIT

La surprise

Ziri déguste avec appétit son petit déjeuner. Ses parents l'accompagnent et rient de bon cœur tout en planifiant la journée. Soudain, son père sort une enveloppe et la lui remet :

— Je l'avais oubliée.

En l'ouvrant, une lettre s'échappe et Ziri reconnaît l'écriture de sa grand-maman.

« *Mon cher Ziri,*

Je pense à toi très souvent et j'espère, mon petit, que tu me rendras visite très bientôt. En attendant ta venue, tu pourras admirer la Kabylie sur le cédérom que voici. Je l'ai préparé spécialement pour toi et tes parents.

Ta grand-maman qui t'adore.

P.S. J'ai retrouvé parmi mes vieux souvenirs un poème composé par ton papa. Je t'en fais cadeau à la fin de mon récit. »

Ziri insère le cédérom dans l'ordinateur et s'assoie sur son tapis moelleux. La voix chaude de sa grand-mère se fait entendre.

« *Depuis la nuit des temps, sur l'immense territoire du nord de l'Afrique que borde la Méditerranée, vivaient en harmonie les hommes, les femmes et les enfants du peuple amazigh, aussi appelé berbère ou « peuple libre ». Les rois et les reines régnaient avec sagesse. Les familles, les grandes tribus, les communautés villageoises se partageaient des récoltes abondantes, s'entraidaient, respectaient les êtres humains et les enfants par-dessus tout.*

« *La légende dit qu'un jour, affolées par une éclipse de soleil, d'autres nations quittèrent leur pays pour traverser les terres et les mers à la recherche d'un nouveau foyer. Pour y parvenir, elles affrontèrent le froid, la famine, la peur et la maladie. Plusieurs vinrent s'établir en Kabylie car elles savaient qu'elles y trouveraient le calme et la prospérité.*

« *Puis, des peuples moins pacifiques envahirent le territoire des Berbères : les Byzantins, les Vandales, les Phéniciens, les Romains, les Arabes, les Français* enfin s'abattirent sur la paisible Afrique pour prendre possession de ses richesses. Ils devinrent les maîtres de l'espace, ils imposèrent leurs lois et ils divisèrent le grand espace en plusieurs nouveaux pays. C'est pourquoi le peuple amazigh ou berbère est maintenant dispersé en Algérie, au Maroc, en Tunisie, en Libye, en Égypte, au Niger, au Burkina Faso et même aux Îles Canaries.

« Ici, en Algérie, les Berbères sont partout. Au sud, ils habitent les vastes étendues du Sahara, le plus grand désert du monde. Jadis, le Sahara était une mer entourée d'une végétation luxuriante. Mais un brusque changement climatique survint qui assécha cette région fertile. La mer disparut, les plantes et les animaux se raréfièrent. Du sommet des montagnes arides du Hoggar, de l'Atlas ou du Tassili, on n'aperçoit plus que du sable à perte de vue. On dit que là-bas, le soleil est multi-colore, que les étoiles parlent et que la pleine lune chante des berceuses aux petits enfants. Les dunes formées par le vent ensorcellent les humains et les entraînent dans les mirages du rêve. Parfois émerge le son grêle d'une flûte : c'est un enfant touareg qui cherche à dompter la tranquillité du désert. Le calme et le silence hypnotisent chaque être vivant, enveloppent chaque village. Il fait si chaud qu'humains et animaux dorment le jour et vivent la nuit.

« Les Touaregs, les nomades du désert, sont surnommés les hommes bleus. Les tissus dont ils se servent pour protéger leur visage du vent et du sable déteignent à la longue. Leur peau prend alors une couleur bleue violacée unique. Les Touaregs croient que la terre appartient à tous et n'acceptent aucune frontière. Ils se déplacent par groupes de plusieurs familles, d'une oasis à l'autre, traversant plusieurs pays pour vendre leurs créations artisanales. Ils cheminent toujours avec leurs chameaux, leurs chiens et leurs chèvres. Lorsque les caravanes font halte à un point d'eau, cette précieuse ressource, on dresse les tentes en peaux de bêtes et on cherche à vendre bracelets,

colliers, ceintures et sacs de cuir, tapis,
couteaux, épées, sel et épices.

« À leur arrivée, les enfants touaregs explorent les environs de l'oasis, jouent dans les dunes, cueillent des roses des sables ou aident leurs parents à fabriquer du fromage avec le lait des chèvres et des chamelles. La nuit tombée, ils s'entassent dans la tente des grands-parents pour y entendre conter les aventures des plus célèbres rois et reines amazighs. De cette façon, on leur transmet le savoir de leur peuple et la connaissance de leur langue. Avant d'aller dormir, les enfants chantent, dans la lumière magique du désert nocturne, des chansons apprises de leur grand-père.

« À l'ouest de l'Algérie, le grand Sahara se transforme et les terres deviennent plus fertiles, assez pour qu'on puisse cultiver des agrumes et les vignes qui donnent un vin fabuleux. Coincé entre le désert et la mer, le paysage se parsème de villes étincelantes et animées où la musique berbère côtoie la beauté majestueuse de la Méditerranée, qui baigne les mille deux cents kilomètres du nord du pays. La route tortueuse est jalonnée de ruines romaines et de superbes points de vue sur la mer verte et bleue. Juchée sur une crête, voici Alger la blanche, la plus grande ville du pays, qui s'étale du littoral jusque dans les plaines intérieures, où les orangers cèdent vite la place aux pins et aux cèdres. Au-delà, des eucalyptus ombragent les rivières et les forêts de chênes-lièges abritent des singes, des sangliers, des chacals, des renards et des milliers d'oiseaux.

« En cheminant vers l'est, le parcours devient montagneux : on atteint alors la chaîne des Aurès. Des terres immenses y sont consacrées à la culture du blé et de fruits. Certaines maisons sont creusées dans les parois des falaises. Plus loin, au bout d'une plaine, se dresse le Djurjura, la montagne sacrée, criblée de grottes mystérieuses, habillée de neige en hiver, qui protège toute la Kabylie. Dans cette région très accidentée poussent l'olivier, le cerisier et le figuier.

« En Kabylie, la cerise symbolise la joie et la fête. À l'époque de la cueillette, tous se rassemblent et s'amusent au son des chants traditionnels. Pour sa part, la figue symbolise l'amour. La coutume veut qu'elle soit goûtée par tous en même temps, puisque l'amour doit se partager. On la récolte l'été, qui est la saison des mariages. Chez les Berbères, la noce dure de trois à sept jours et accueille des centaines de personnes parées de leurs plus beaux atours.

« Aux environs du Djurjura, des villages s'accrochent aux flancs des montagnes, accessibles seulement par des sentiers cailouteux et escarpés. L'un de ceux-là, celui où nous habitons, s'appelle Ait Ziri. Quelques dizaines de familles y vivent depuis des siècles.

« Ici, les enfants ne voyagent pas sur le dos d'un dragon. Ils vont plutôt à pied, à cheval ou à dos d'âne. Ils se baignent dans les rivières, capturent de petits animaux pour les apprivoiser et aiment par-dessus tout se distraire avec des jeux typiquement berbères : l'amesmar, le tagust, *l'alaligne, l'aâli, l'avavan nazhir ou le thi-ker.*

« Celui que je préfère s'appelle le jeu des boutons. Il se joue avec un dé, une boîte de conserve et un carton avec des cases numérotées de un à six. Les jeunes parient leurs boutons sur un chiffre et lancent le dé en retournant la boîte sur le carton. Si le numéro tiré correspond à celui de la mise, ils gagnent. Sinon, ils doivent miser d'autres boutons. Parfois, les garçons arrachent ceux de leurs vête-ments pour pouvoir jouer plus long-temps.

« Mais il ne faut pas oublier qu'ici, les enfants travaillent beaucoup. Certains aident leurs parents aux travaux des champs ; d'autres sont bergers. La plu-part vont avec leur âne chercher de l'eau à la fontaine. C'est là que se retrouvent souvent les femmes pour laver le linge, échanger des histoires et chanter en chœur. Les hommes, eux, se rassemblent plutôt sur la place. Les jeunes aiment bien aller d'un groupe d'adultes à l'autre pour

les écouter. Cela leur permet d'apprendre toutes les rumeurs, mais aussi de mieux connaître les lois et les coutumes du village.

« Il y aurait encore beaucoup à vous dire, mes chéris. Malheureusement, le temps passe ; je me sens fatiguée et il faudrait que tu songes, petit Ziri, à revenir chez toi, visiter ta famille. Avant que nous nous quittions, je vais vous réciter un poème écrit par ton père.

« De Kabylie jusqu'à Siwa
De Rabat jusqu'à Barcelone
Du pays basque à la Bretagne
Du Kurdistan aux Îles Canaries
D'un continent à l'autre
Les langues se délient
Aucune ne veut mourir
Elles s'accrochent à la vie
Être l'ami d'une voix
Complice d'une plume
Devenir une chanson
Un hymne et un livre

« Du Kenya au Brésil
De la Turquie au Guatemala
Du Québec à la Norvège
La verdoyante terre respire
Comme la nature
Les langues sont la vie
Donnons-leur un élan

« Aujourd'hui j'ai raconté une culture
Avec tous ses accents et toutes ses
couleurs
Ensemble, voyageons sur terre
Visiter des pays sans frontières
Pour que partout règne la paix »

Le silence s'installe. Le souffle coupé, Ziri regarde ses tirelires alignées sur la commode. Songeur, il les effleure du bout des doigts. Elles restent immobiles. Dans son cœur, par contre, tout se bouscule. Son rêve est devenu réalité.

Ses parents l'aiment et quoi qu'il arrive, la famille restera unie, soudée par un amour éternel.

Wahmed Ben Younès

Animateur et éducateur, j'ai commencé à écrire des contes, de la poésie et des pièces de théâtre pour m'amuser en créant avec les enfants.

Je suis né en Algérie, plus exactement en Haute Kabylie, puis j'ai traversé la Méditerranée pour me rendre en Europe. J'ai demeuré longtemps en France, et ensuite j'ai volé au-dessus de l'océan pour atterrir à Montréal.

J'habite depuis plusieurs années la ville de Québec où je travaille avec les jeunes enfants.

Guadalupe Trejo

Je suis une artiste multidisciplinaire et j'ai toujours été fascinée par l'imaginaire des enfants. Montréalaise d'origine mexicaine, je travaille depuis maintenant cinq ans dans le milieu de la communication graphique à Montréal et à Mexico. J'enseigne aussi la photographie aux adolescents.

Ziri et ses tirelires est le deuxième roman pour lequel je présente des illustrations en format roman jeunesse.

Je suis fière de faire partie de la tribu du Phœnix.

TABLE DES MATIÈRES

Achevé d'imprimer en février 2006
sur les presses de l'imprimerie Gauvin,
Gatineau, Québec